réveille-toi raymond !

anne crausaz

éditions MeMo

c'est l'automne !

raymond et juliette se dépêchent de rentrer.
les limaces suivent, mais les souris hésitent.

tout le monde est prêt à hiberner, même les tulipes !

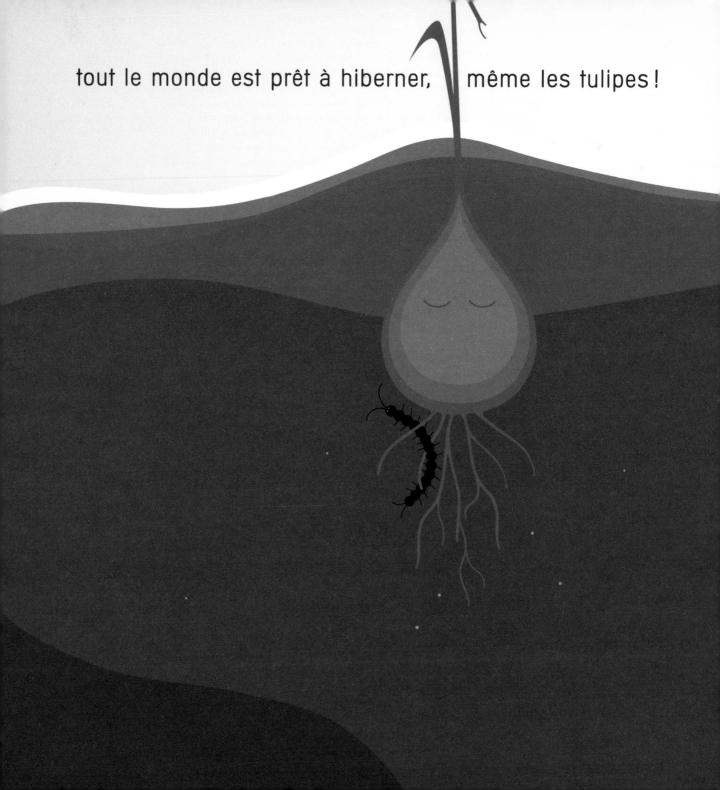

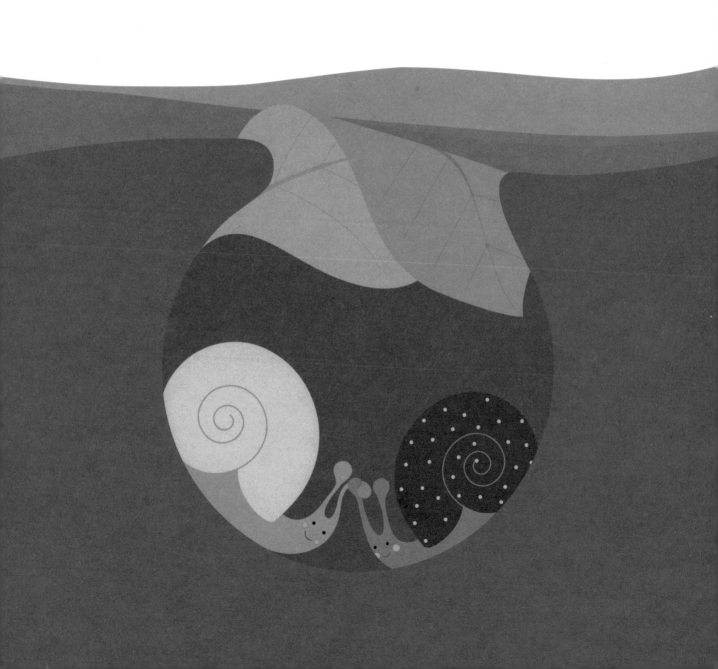

juliette et raymond se blottissent l'un contre l'autre,
pour se raconter leurs aventures de l'été :
le hérisson, les fraises du jardinier...

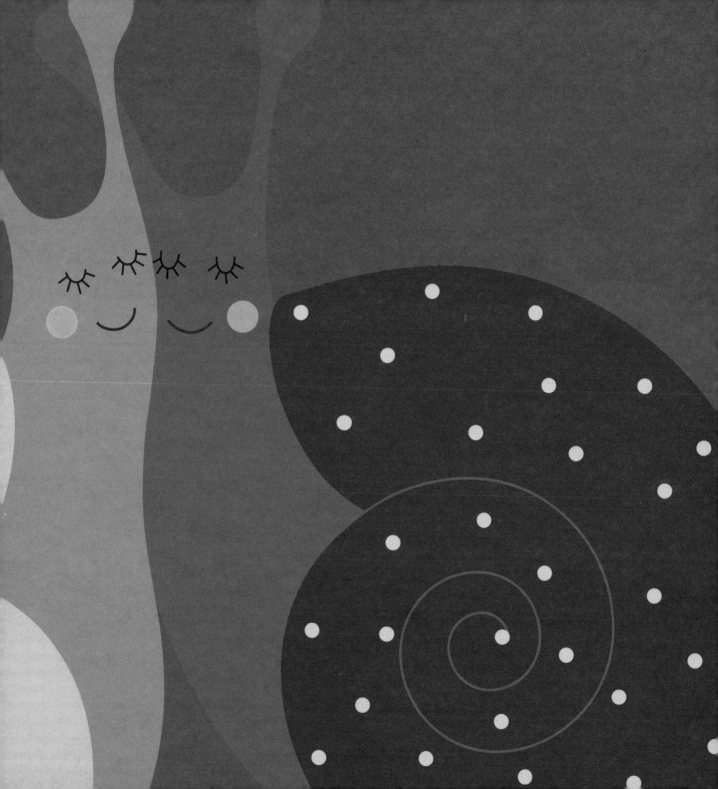

puis juliette ferme la porte de sa maison,
et raymond se colle tout contre sa coquille.

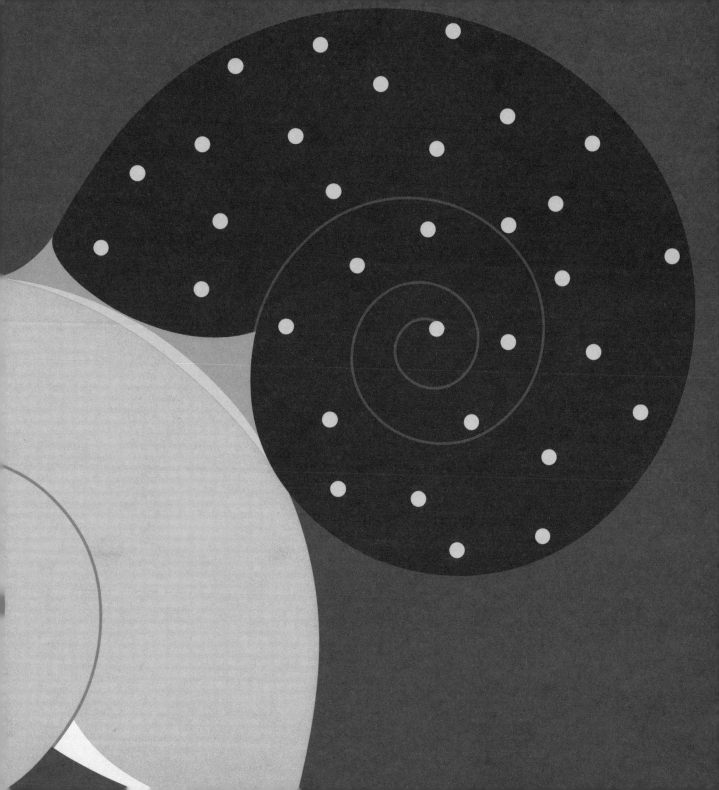

nuits de pleine lune glacées, tempêtes de neige
et giboulées : raymond et juliette n'ont pas bougé.

c'est alors que raymond entend un bruit :
il sort de son lit.

il saute sur le dos d'un immense oiseau...

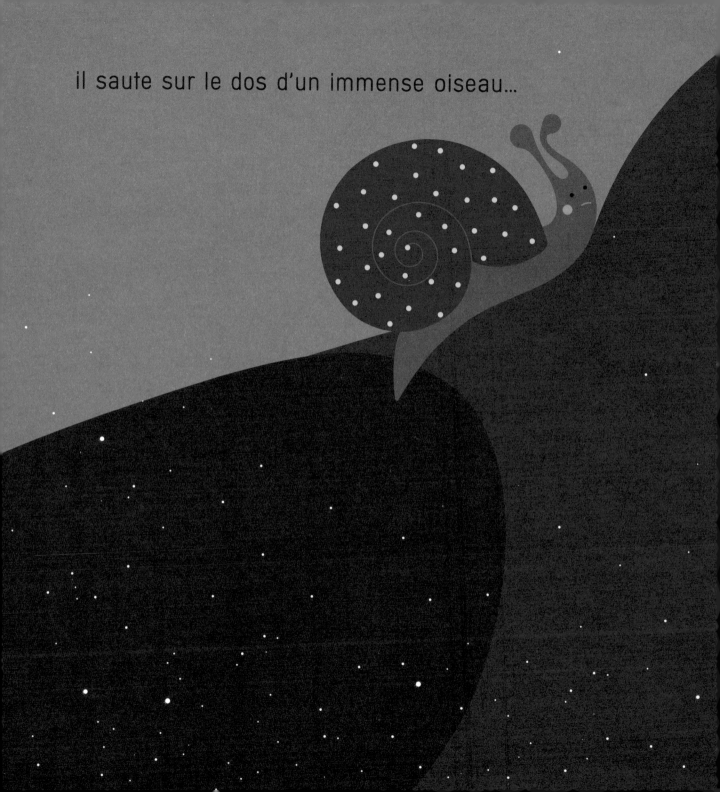

et tombe la tête la première dans les étoiles,
sous le regard amusé de la lune!

un drôle de personnage s'approche de lui... raymond
préfère s'éloigner, et fait des bulles pour se rassurer.

raymond se sent de plus en plus petit.

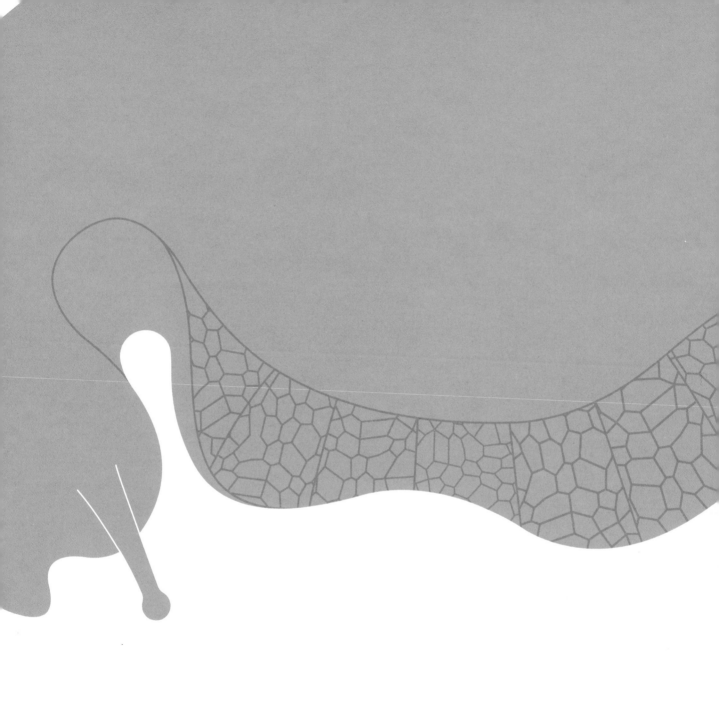

il se réfugie près des fraises.
pas de chance : elles ont faim !

il continue son chemin et tombe sur trois brigands:
raymond se donne des airs méchants.

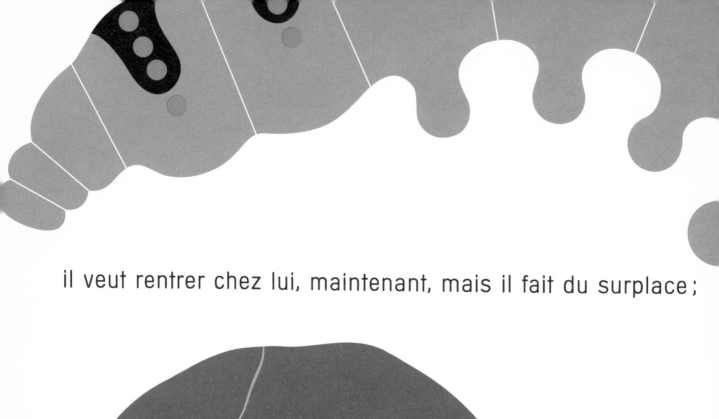

il veut rentrer chez lui, maintenant, mais il fait du surplace ;

même la chenille le dépasse !

soudain, la terre tremble !

il roule et dégringole jusqu'en bas.

dans la chute, sa coquille est tombée :
le voilà tout nu dans le vent glacé !

une coquille a été oubliée. raymond l'essaye,
mais elle ne lui va pas ; juliette le reconnaîtra-t-il ?

une chose terrifiante s'approche de lui, c'est la fin !
pauvre raymond ! il entend une petite voix au loin :

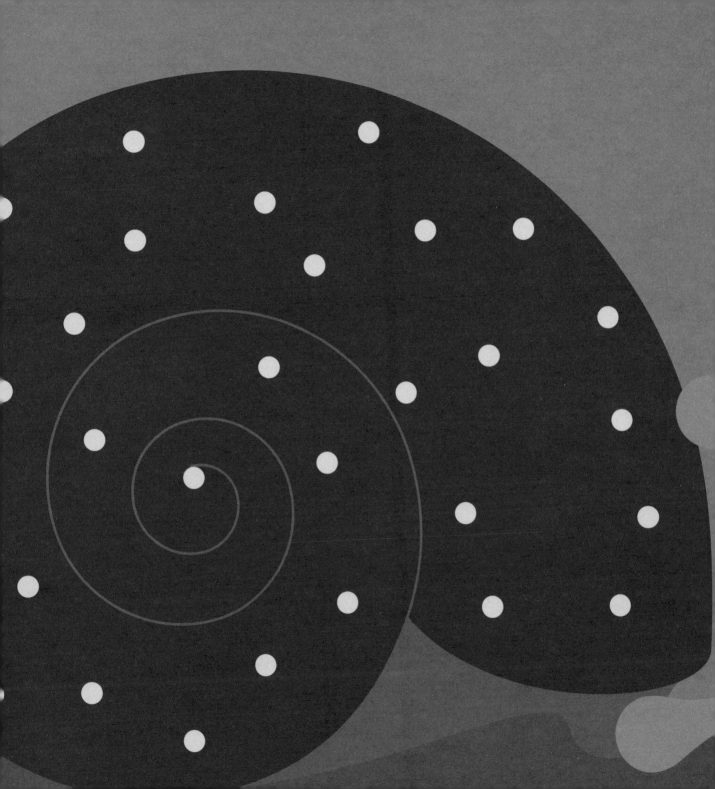

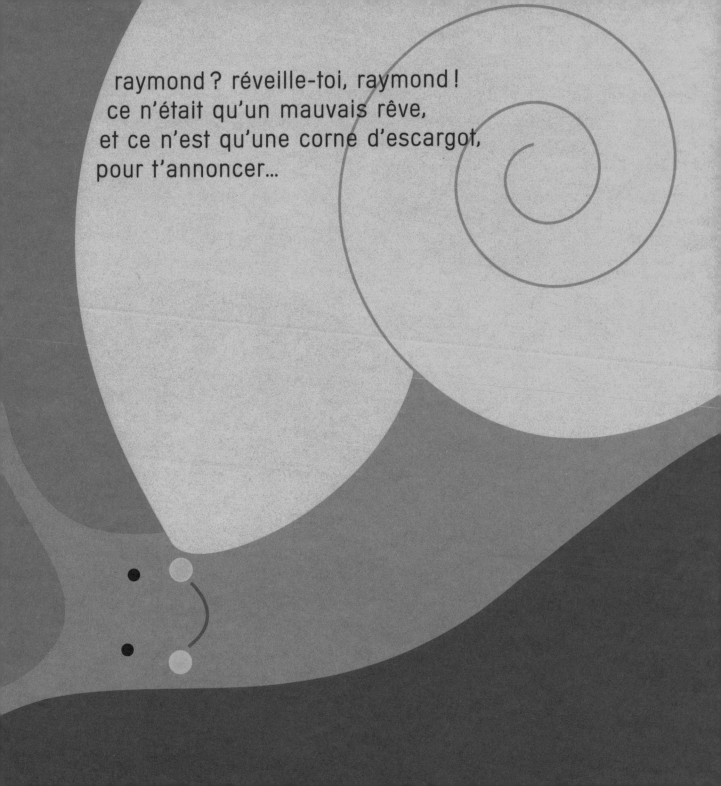

raymond ? réveille-toi, raymond !
ce n'était qu'un mauvais rêve,
et ce n'est qu'une corne d'escargot,
pour t'annoncer...

... que le printemps est arrivé !

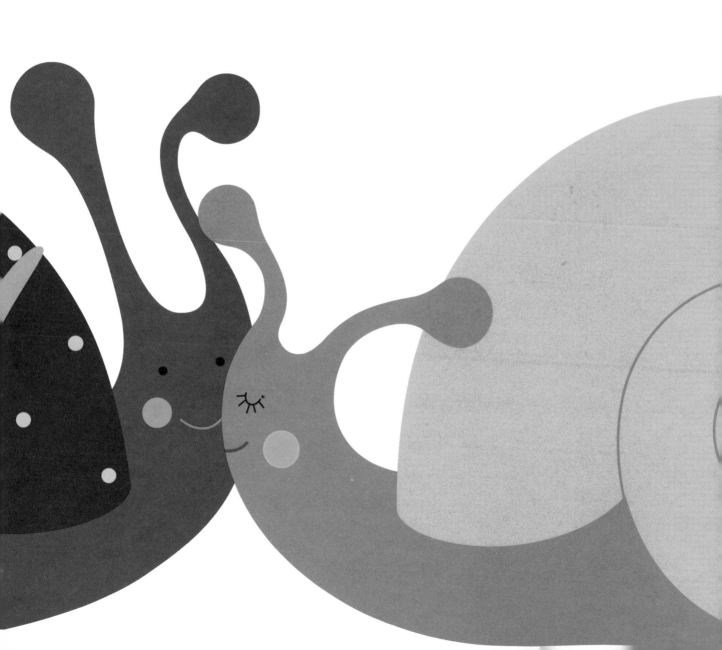